Inglés Inglés Inglés Inglé ngle
ras sinBarreras sinBarreras sinBarreras sinBar Barr

nglés Inglés Inglés Inglés Inglés Inglés
Barreras sinBarreras sinBarreras sinBarreras sinBarreras sinBarreras s

Inglés Inglés Inglés Inglés Inglés Inglé
ras sinBarreras sinBarreras sinBarreras sinBarreras sinBarreras sinBarr

nglés Inglés Inglés Inglés Inglés Inglés
Barreras sinBarreras sinBarreras sinBarreras sinBarreras sinBarreras si

Inglés Inglés Inglés Inglés Inglés Inglé
ras sinBarreras sinBarreras sinBarreras sinBarreras sinBarreras sinBarr

nglés Inglés Inglés Inglés Inglés Inglés
Barreras sinBarreras sinBarreras sinBarreras sinBarreras sinBarreras si

Inglés Inglés Inglés Inglés Inglés Inglé
ras sinBarreras sinBarreras sinBarreras sinBarreras sinBarreras sinBarr

nglés Inglés Inglés Inglés Inglés Inglés
Barreras sinBarreras sinBarreras sinBarreras sinBarreras sinBarreras si

Inglés Inglés Inglés Inglés Inglés Inglé
ras sinBarreras sinBarreras sinBarreras sinBarreras sinBarreras sinBarr

nglés Inglés Inglés Inglés Inglés Inglés
Barreras sinBarreras sinBarreras sinBarreras sinBarreras sinBarreras si

Inglés Inglés Inglés Inglés Inglés Inglé
ras sinBarreras sinBarreras sinBarreras sinBarreras sinBarreras sinBarr

nglés Inglés Inglés Inglés Inglés Inglés
Barreras sinBarreras sinBarreras sinBarreras sinBarreras sinBarreras si

Inglés Inglés Inglés Inglés Inglés Inglé
ras sinBarreras sinBarreras sinBarreras sinBarreras sinBarreras sinBarr

nglés Inglés Inglés Inglés Inglés Inglés
Barreras sinBarreras sinBarreras sinBarreras sinBarreras sinBarreras si

Inglés Inglés Inglés Inglés Inglés Inglé
ras sinBarreras sinBarreras sinBarreras sinBarreras sinBarreras sinBarr

nglés Inglés Inglés Inglés Inglés Inglés
Barreras sinBarreras sinBarreras sinBarreras sinBarreras sinBarreras si

Inglés Inglés Inglés Inglés Inglés Inglé
ras sinBarreras sinBarreras sinBarreras sinBarreras sinBarreras sinBarr

Inglés sin Barreras®

El Video-Maestro de Inglés Conversacional

5 La casa y el mobiliario

Manual

ISBN: 1-59172-297-7
ISBN: 978-1-59172-297-7

I705VM05

Dedicatoria

Dedicamos este curso a todos los hispanos que tomaron la iniciativa de traer el idioma inglés a sus vidas para expandir sus horizontes. Los sueños pueden convertirse en realidad. Con gran respeto y afecto,

Sus amigos de Inglés sin Barreras

Metodología	Center for Applied Linguistics
Texto	Karen Peratt, Cristina Ribeiro Center for Applied Linguistics International Media Access Inc.
Ilustraciones	Gabriela Cabrera, Linda Beckerman
Diseño gráfico	Magnus Ekelund, Efrain Barrera, bluefisch design
Guión adaptado - inglés	Karen Peratt
Guión adaptado - español	Cristina Ribeiro
Edición	Betsabé Mazzolotti, Horacio Gosparini, Yuri Murúa, Damián Quevedo, Mike Ramirez
Aprendamos viajando	Marcos Said, Pablo Moreno, Alfredo León
Aprendamos conversando	Howard Beckerman Producción: Heartworks International, Inc.
Música	Erich Bulling
Fotografía	Alejandro Toro, Alfredo León
Producción en línea	Miguel Rueda
Dirección - video	Loretta G. Seyer, Patricio Stark
Coordinación de proyecto	Juliet Flores, Cristina Ribeiro
Dirección de proyecto	Karen Peratt, Arleen Nakama
Directora ejecutiva	Valeria Rico
Productor ejecutivo y director creativo	José Luis Nazar

La casa y el mobiliario

Índice

Lección uno

Vocabulario 5
Clase 10
Diálogo 16

Lección dos

Vocabulario 21
Clase 27
Diálogo 32

Pronunciación

Vocabulario 36
Clase 37

Lección tres

Vocabulario 41
Clase 45
Diálogo 49

Lección cuatro

Vocabulario 55
Clase 59
Diálogo 64

Aprendamos viajando

Florida 68

Aprendamos cantando

Blue Suede Shoes 79

Aprendamos conversando

.... 87

1 Notas

1

1 Notas

Vocabulario 1

Le recomendamos que lea las palabras del vocabulario antes de ver el video correspondiente a esta lección. Éstas son las palabras más importantes de esta lección.

why	*por qué*
because	*porque*
carefully	*cuidadosamente*
completely	*completamente, totalmente*
exactly	*exactamente*
best friends	*mejores amigos*
crazy	*loco(a)*
surprised	*sorprendido(a)*

hard	*duro(a)*
strong	*fuerte*
hurricane	*huracán*
bus	*autobús*
outside	*afuera, fuera*
inside	*adentro, dentro*
sometimes	*a veces, de vez en cuando*
in fact	*de hecho*
reason	*razón, motivo*
different	*diferente*
story	*historia, cuento*

(to) live	*vivir*
(to) love	*amar, gustar mucho, encantar*
(to) move	*mover*
(to) move out	*mudarse*
(to) change	*cambiar*
(to) hate	*odiar*

1 Vocabulario

(to) go	*ir*
went	*fui, fuiste, fue, fuimos, fueron*
	iba, ibas, iba, íbamos, iban
(to) fall	*caer*
fell	*caí, caíste, cayó, caímos, cayeron*
	caía, caías, caía, caíamos, caían
(to) make	*hacer*
made	*hice, hiciste, hizo, hicimos, hicieron*
	hacía, hacías, hacía, hacíamos, hacían
(to) ride	*montar (a caballo, en bicicleta, en coche)*
rode	*monté, montaste, montó, montamos, montaron*
	montaba, montabas, montaba montábamos, montaban
(to) shine	*brillar*
shone	*brillé, brillaste, brilló, brillamos, brillaron,*
	brillaba, brillabas, brillaba, brillábamos, brillaron
(to) tell	*decir*
told	*dije, dijiste, dijo, dijimos, dijeron*
	decía, decías, decía, decíamos, decían
(to) point to	*señalar a*
(to) dream	*soñar*
(to) finish	*terminar, finalizar*

Más vocabulario

alone	*solo(a)*
pet	*animal doméstico/mascota*
animal	*animal*
notebook	*cuaderno, bloc*
things	*cosas*

Elementos esenciales

Esta sección destaca los elementos básicos de esta lección. Lea detenidamente lo que incluimos en ella.

why *por qué*	Why were you late? *¿Por qué llegó usted tarde?*
because *porque*	Because I missed the bus. *Porque perdí el autobús.*

(to) clear the air

Se utiliza cuando se quiere aclarar un asunto o resolver una disputa.

- I am tired of fighting about this.
- Me, too. Let's clear the air.

- *Estoy cansada de pelear por esto.*
- *Yo también. Aclaremos las cosas.*

1 Vocabulario

Aprenda y practique

Le recomendamos que aprenda las expresiones y oraciones que se incluyen en esta lección. Practique usando lo aprendido cada día.

(to) fall *caer*	fell *cayó*	He fell yesterday. *Él se cayó ayer.*
(to) shine *brillar*	shone *brilló*	The sun shone all afternoon. *El sol brilló toda la tarde.*
(to) ride *montar*	rode *montó*	He rode his bicycle. *Él montó en bicicleta.*
(to) tell *contar*	told *contó*	He told me a story. *Él me contó una historia.*
(to) go *ir*	went *fue*	He went to the store. *Él fue a la tienda.*
(to) make *hacer*	made *hice*	I made a cake yesterday. *Yo hice un pastel ayer.*

verbos irregulares, pg. 102

(to) dream	*soñar*
dreamed	*soñé, soñaste, soñó, soñamos, soñaron*
dreamt	*soñaba, soñabas, soñaba, soñábamos, soñaban*
(to) live	*vivir*
lived	*viví, viviste, vivió, vivimos, vivieron*
	vivía, vivías, vivía, vivíamos, vivían
(to) love	*amar*
loved	*amé, amaste, amó, amamos, amaron*
	amaba, amabas, amaba, amábamos, amaban
(to) move	*mover*
moved	*moví, moviste, movió, movimos, movieron*
	movía, movías, movía, movíamos, movían
(to) move out	*mudarse*
moved out	*me mudé, te mudaste, se mudó, nos mudamos, se mudaron*
	me mudaba, te mudabas, se mudaba, nos mudábamos, se mudaban
(to) change	*cambiar*
changed	*cambié, cambiaste, cambió, cambiamos, cambiaron*
	cambiaba, cambiabas, cambiaba, cambiábamos, cambiaban
(to) hate	*odiar*
hated	*odié, odiaste, odió, odiamos, odiaron*
	odiaba, odiabas, odiaba, odiábamos, odiaban
(to) finish	*terminar*
finished	*terminé, terminaste, terminó, terminamos, terminaron*
	terminaba, terminabas, terminaba, terminábamos, terminaban
(to) point to	*señalar*
pointed to	*señalé, señalaste, señaló, señalamos, señalaron*
	señalaba, señalabas, señalaba, señalábamos, señalaban

1 Clase

Apuntes

"Why" y "Because"

Cuando hacemos una pregunta que comienza con la palabra **why** (por qué), estamos pidiendo más información; pedimos que se nos dé una razón o una explicación. Las respuestas a esa pregunta empiezan con frecuencia con la palabra **because** (porque). La palabra **because** indica que se está dando una razón o explicación.

- Why did you ride the bus?	- *¿Por qué tomó usted el autobús?*
- Because it was raining.	- *Porque estaba lloviendo.*
- Why do you like Mattie?	- *¿Por qué te gusta Mattie?*
- Because she is nice.	- *Porque es agradable.*
- Why did you call last night?	- *¿Por qué llamó usted anoche?*
- Because I needed some help.	- *Porque necesitaba ayuda.*

Aprenda a usar **why** (por qué) y **because** (porque). Pregúntele a un amigo/a en inglés qué tipo de música le gusta y por qué.

Cómo expresar comprensión

Cuando alguien nos cuenta un problema, es normal expresar simpatía o comprensión. He aquí algunas frases que puede usar en esas circunstancias.

I'm sorry to hear that.	*Siento mucho oír eso.*
That's too bad.	*Qué mal.*
What a shame.	*Qué pena.*
I understand how you feel.	*Comprendo cómo se siente.*

Repaso de los verbos en pasado

En la lección anterior, usted aprendió que para indicar una acción en el pasado, se añade **ed** al final de la mayoría de los verbos.

walk**ed** *caminó*	He walk**ed** to school yesterday. *Él caminó a la escuela ayer.*
look**ed** *miré*	I look**ed** at the painting. *Yo miré el cuadro.*
learn**ed** *aprendió*	She learn**ed** English at school. *Ella aprendió inglés en la escuela.*

En las oraciones negativas, el pasado se forma poniendo **did** + **not** delante la forma simple del verbo.

He **didn't** walk to school yesterday.
Él no se fue caminando a la escuela ayer.

I **didn't** look at the painting.
Yo no miré el cuadro.

She **didn't** learn English at school.
Ella no aprendió inglés en la escuela.

La palabra **did** también se usa para hacer preguntas referentes a acciones que ocurrieron en el pasado.

Did he walk to school yesterday?
¿Caminó a la escuela ayer?

Did you look at the painting?
¿Miró usted el cuadro?

Did she learn English at school?
¿Aprendió inglés en la escuela?

Verbos irregulares

En inglés, hay muchos verbos a los que no se agrega **ed** para indicar el pasado. Se les llama verbos irregulares.

fall	fell	*caer*
ride	rode	*andar en*
shine	shone	*brillar*
tell	told	*contar*
go	went	*ir*
make	made	*hacer*

Como puede comprobar, no hay reglas para formar el pasado de los verbos irregulares. Por lo tanto, hay que aprenderlos todos.

La buena noticia es que sólo tiene que aprender una palabra por cada verbo irregular en tiempo pasado. Se usa la misma palabra con sustantivos singulares y plurales.

I fell	*yo me caí*
you fell	*tú te caíste*
	usted se cayó
he fell	*él se cayó*
she fell	*ella se cayó*
we fell	*nosotros nos caímos*
you fell	*ustedes se cayeron*
they fell	*ellos se cayeron*

The boy fell.
El niño se cayó.

The girls fell.
Las niñas se cayeron.

Harry fell.
Harry se cayó.

He went yesterday.
Él fue ayer.

They went to school at 1:00.
Ellos fueron a la escuela a la una.

(To) be es la única excepción; tiene dos formas diferentes en tiempo pasado.

I was	*yo*	*era/estaba*	*fui/estuve*
you were	*tú*	*eras/estabas*	*fuiste/estuviste*
	usted	*era/estaba*	*fue/estuvo*
he was	*él*	*era/estaba*	*fue/estuvo*
she was	*ella*	*era/estaba*	*fue/estuvo*
we were	*nosotros*	*éramos/estábamos*	*fuimos/estuvimos*
you were	*ustedes*	*eran/estaban*	*fueron/estuvieron*
they were	*ellos*	*eran/estaban*	*fueron/estuvieron*

verbos irregulares, pg. 102

Formación de oraciones negativas en pasado

En las oraciones negativas, el pasado también se forma colocando **did** + **not** delante de la forma simple del verbo.

A tree fell on our house.
Un árbol cayó sobre nuestra casa.
A tree didn't fall on our house.
Un árbol no cayó sobre nuestra casa.

We rode the bus to work.
Nosotros tomamos el autobús para ir al trabajo.
We didn't ride the bus to work.
Nosotros no tomamos el autobús para ir al trabajo.

I gave him my telephone number.
Yo le di mi número de teléfono.
I didn't give him my telephone number.
Yo no le di mi número de teléfono.

forma negativa, pg. 48

Preguntas con verbos irregulares

Para hacer preguntas que incluyen verbos irregulares en pasado, también se usa **did** con la forma simple del verbo.

He went to Los Angeles last Saturday.
Él fue a Los Ángeles el sábado pasado.
Did he go to Los Angeles last Saturday?
¿Fue él a Los Angeles el sábado pasado?

She rode a bicycle to school.
Ella fue en bicicleta a la escuela.
Did she ride a bicycle to school?
¿Fue ella en bicicleta a la escuela?

I made a cake for her birthday.
Yo hice un pastel para su cumpleaños.
Did you make a cake for her birthday?
¿Hiciste un pastel para su cumpleaños?

this neck of the woods

Se traduce como "en este trecho del bosque" y quiere decir "por aquí".

— Hi Jenny. What brings you to this neck of the woods?
— Oh, I had an errand in the neighborhood.

— *Hola Jenny, ¿qué te trae por aquí?*
— *Oh, tenía que hacer un recado en el vecindario.*

oraciones interrogativas, pg. 51

1 Diálogo

Éste es el texto completo del diálogo incluido en el video. Usted hará el papel del espectador **(viewer)**. Si le hacen una pregunta personal, conteste usando información personal. Tenga en cuenta que las respuestas del espectador que le proporcionamos no son las únicas respuestas correctas.

¿Dónde está la tarea?

Robert	What's wrong? *¿Qué pasa?*
Kathy	I'm worried because my homework is not in my notebook. It was in my notebook... *Estoy preocupada porque mi tarea no está en mi cuaderno. Estaba en mi cuaderno…*
Robert	Where was her homework? *¿Dónde estaba su tarea?*
Viewer *(Usted)*	It was in her notebook. *Estaba en su cuaderno.*
Robert	When did you do your homework? *¿Cuándo hiciste tu tarea?*
Kathy	This afternoon. Then I watched some TV. *Esta tarde. Luego vi la televisión.*

Robert What did you do then?
¿Qué hiciste después?

Kathy A lot of things. First, I met Cindy at the café.
I'm sure I had my homework at the café.
Muchas cosas. Primero, me encontré con Cindy en el café.
Estoy segura de que tenía mi tarea en el café.

Robert You're sure? Why?
¿Estás segura? ¿Por qué?

Kathy Because I showed it to Cindy. She didn't understand some of the questions. Then I talked to Albert outside the café. He had his car.
Porque se la mostré a Cindy. Ella no entendía algunas preguntas. Luego hablé con Albert fuera del café.
Él tenía su automóvil.

Robert Maybe your homework is in Albert's car.
Tal vez tu tarea esté en el automóvil de Albert.

Kathy Yes, maybe. I need to call Albert.
Sí, quizás. Tengo que llamar a Albert.

2 Notas

Lección 2

2 Notas

Vocabulario 2

Le recomendamos que lea las palabras del vocabulario antes de ver el video correspondiente a esta lección. Éstas son las palabras más importantes de esta lección.

	in the city	*en la ciudad*
	in the country	*en el campo*
	in the suburbs	*en las afueras de la ciudad*
ate	*comí, comiste, comió, comimos, comieron* *comía, comías, comía, comíamos, comían*	
became	*me volví, te volviste, se volvió, nos volvimos, se volvieron* *me volvía, te volvías, se volvía, nos volvíamos, se volvían*	
began	*comencé, comenzaste, comenzó, comenzamos, comenzaron* *comenzaba, comenzabas, comenzaba, comenzábamos, comenzaban*	
broke	*rompí, rompiste, rompió, rompimos, rompieron* *rompía, rompías, rompía, rompíamos, rompían*	
came	*vine, viniste, vino, vinimos, vinieron* *venía, venías, venía, veníamos, venían*	
cost	*costé, costaste, costó, costamos, costaron* *costaba, costabas, costaba, costábamos, costaban*	
drank	*bebí, bebiste, bebió, bebimos, bebieron* *bebía, bebías, bebía, bebíamos, bebían*	
drove	*manejé, manejaste, manejó, manejamos, manejaron* *manejaba, manejabas, manejaba, manejábamos, manejaban*	
fell	*caí, caíste, cayó, caímos, cayeron* *caía, caías, caía, caíamos, caían*	

verbos irregulares, pg. 102

Vocabulario

felt	*sentí, sentiste, sintió, sentimos, sintieron* *sentía, sentías, sentía, sentíamos, sentían*
forgot	*olvidé, olvidaste, olvidó, olvidamos, olvidaron* *olvidaba, olvidabas, olvidaba, olvidábamos, olvidaban*
gave	*di, diste, dio, dimos, dieron* *daba, dabas, daba, dábamos, daban*
got	*obtuve, obtuviste, obtuvo, obtuvimos, obtuvieron* *obtenía, obtenías, obtenía, obteníamos, obtenían*
had	*tuve, tuviste, tuvo, tuvimos, tuvieron* *tenía, tenías, tenía, teníamos, tenían*
heard	*oí, oíste, oyó, oímos, oyeron* *oía, oías, oía, oíamos, oían*
held	*agarré, agarraste, agarró, agarramos, agarraron* *agarraba, agarrabas, agarraba, agarrábamos, agarraban*
hit	*golpeé, golpeaste, golpeó, golpeamos, golpearon* *golpeaba, golpeabas, golpeaba, golpeábamos, golpeaban*
left	*me fui, te fuiste, se fue, nos fuimos, se fueron* *me iba, te ibas, se iba, nos íbamos, se iban*
made	*hice, hiciste, hizo, hicimos, hicieron* *hacía, hacías, hacía, hacíamos, hacían*
met	*me encontré, te encontraste, se encontró,* *nos encontramos, se encontraron* *me encontraba, te encontrabas, se encontraba,* *nos encontrábamos, se encontraban*
paid	*pagué, pagaste, pagó, pagamos, pagaron* *pagaba, pagabas, pagaba, pagábamos, pagaban*

put	*puse, pusiste, puso, pusimos, pusieron* *ponía, ponías, ponía, poníamos, ponían*
ran	*corrí, corriste, corrió, corrimos, corrieron* *corría, corrías, corría, corríamos, corrían*
read	*leí, leíste, leyó, leímos, leyeron* *leía, leías, leía, leíamos, leían*
rode	*monté, montabas, montaba, montábamos, montaban* *montaba, montabas, montaba, montábamos, montaban*
said	*dije, dijiste, dijo, dijimos, dijeron* *decía, decías, decía, decíamos, decían*
sang	*canté, cantaste, cantó, cantamos, cantaron* *cantaba, cantabas, cantaba, cantábamos, cantaban*
sat	*me senté, te sentaste, se sentó, nos sentamos, se sentaron* *me sentaba, te sentabas, se sentaba, nos sentábamos, se sentaban*
saw	*vi, viste, vio, vimos, vieron* *veía, veías, veía, veíamos, veían*
slept	*dormí, dormiste, durmió, dormimos, durmieron* *dormía, dormías, dormía, dormíamos, dormían*
spoke	*hablé, hablaste, habló, hablamos, hablaron* *hablaba, hablabas, hablaba, hablábamos, hablaban*
swam	*nadé, nadaste, nadó, nadamos, nadaron* *nadaba, nadabas, nadaba, nadábamos, nadaban*
taught	*enseñé, enseñaste, enseñó, enseñamos, enseñaron* *enseñaba, enseñabas, enseñaba, enseñábamos, enseñaban*

thought	*pensé, pensaste, pensó, pensamos, pensaron* *pensaba, pensabas, pensaba, pensábamos, pensaban*
threw	*lanzé, lanzaste, lanzó, lanzamos, lanzaron* *lanzaba, lanzabas, lanzaba, lanzábamos, lanzaban*
told	*dije, dijiste, dijo, dijimos, dijeron* *decía, decías, decía, decíamos, decían*
took	*tomé, tomaste, tomó, tomamos, tomaron* *tomaba, tomabas, tomaba, tomábamos, tomaban*
understood	*entendí, entendiste, entendió, entendimos, entendieron* *entendía, entendías, entendía, entendíamos, entendían*
went	*fui, fuiste, fue, fuimos, fueron* *iba, ibas, iba, íbamos, iban*
woke	*desperté, despertaste, despertó, despertamos, despertaron* *despertaba, despertabas, despertaba,* *despertábamos, despertaban*
won	*gané, ganaste, ganó, ganamos, ganaron* *ganaba, ganabas, ganaba, ganábamos, ganaban*
wore	*vestí, vestiste, vistió, vestimos, vistieron* *vestía, vestías, vestía, vestíamos, vestían*
wrote	*escribí, escribiste, escribió, escribimos, escribieron* *escribía, escribías, escribía, escribíamos, escribían*

Más vocabulario

fireworks	*fuegos artificiales*
(to) dance	*bailar*
movie	*película*

Aprenda y practique

Le recomendamos que aprenda las expresiones y oraciones que se incluyen en esta lección. Practique usando lo aprendido cada día.

past form *forma del pasado*	simple form *forma simple*	
ate	eat	*comer*
became	become	*volverse, convertirse en*
began	begin	*comenzar, empezar*
broke	break	*romper*
came	come	*venir*
cost	cost	*costar*
drank	drink	*beber*
drove	drive	*manejar, conducir*
fell	fall	*caer*
felt	feel	*sentir*
forgot	forget	*olvidar*
gave	give	*dar*
got	get	*obtener*
had	have	*tener*
heard	hear	*oír*
held	hold	*sostener, agarrar*
hit	hit	*golpear*
left	leave	*partir, irse, dejar*
made	make	*hacer*
met	meet	*encontrarse con, reunirse con*
paid	pay	*pagar*
put	put	*poner*

verbos irregulares, pg. 102

2 Vocabulario

ran	run	*correr*
read	read	*leer*
rode	ride	*montar, ir en*
said	say	*decir*
sang	sing	*cantar*
sat	sit	*sentarse*
saw	see	*ver*
slept	sleep	*dormir*
spoke	speak	*hablar*
swam	swim	*nadar*
taught	teach	*enseñar*
thought	think	*pensar, creer*
threw	throw	*tirar, lanzar*
told	tell	*contar, decir*
took	take	*tomar*
understood	understand	*entender*
went	go	*ir*
woke	wake	*despertar*
won	win	*ganar*
wore	wear	*vestir, llevar*
wrote	write	*escribir*

[not] for love nor money

Equivale a "por nada del mundo". Esta expresión se usa para indicar con firmeza que "por nada del mundo" se haría algo.

— Would you like to try the raw fish?
— No! I wouldn't do that for love nor money.

— *¿Te gustaría probar el pescado crudo?*
— *¡No! No lo haría por nada del mundo.*

Apuntes

Más verbos irregulares

Lea la lista de verbos en la sección de vocabulario. Todos los verbos que hemos incluido son verbos irregulares; tienen formas especiales para indicar una acción en el pasado. No hay reglas para estos verbos. Usted tendrá que memorizar la forma del pasado.

Verbos irregulares atípicos

Algunos verbos irregulares usan la forma simple para indicar el pasado.

(to) cost	cost	It cost $1.00 yesterday.
costar	*costó*	*Costó $1.00 ayer.*
(to) hit	hit	He hit the ball this morning.
golpear	*golpeó*	*Él golpeó la pelota esta mañana.*
(to) put	put	They put on their coats at 3:00.
poner	*pusieron*	*Ellos se pusieron la chaqueta a las tres.*

Otros verbos irregulares usan la forma simple del verbo para indicar el pasado, pero se pronuncian de manera diferente.

(to) read	read	I read three books last week.
leer	*leí*	*Leí tres libros la semana pasada.*

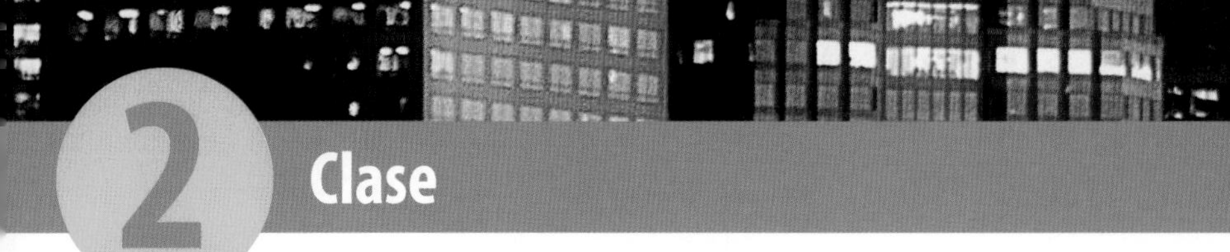

2 Clase

Recuerde: Para indicar el pasado, sólo tiene que aprender una palabra por cada verbo irregular.

I ran	*yo corrí*
he ran	*él corrió*
she ran	*ella corrió*

Recuerde: las oraciones negativas en pasado se forman colocando **did** + **not** delante de la forma simple del verbo.

I didn't run	*yo no corrí*
he didn't run	*él no corrió*
she didn't run	*ella no corrió*

Recuerde: las preguntas en pasado empiezan con la palabra **did**.

Did he run to school?
¿Fue corriendo a la escuela?
Did they talk yesterday?
¿Hablaron ellos ayer?

Se usan respuestas cortas para contestar a estas preguntas.

Did he run to school? Yes, he did. / No, he didn't.	*¿Se fue corriendo a la escuela?* *Sí. / No.*
Did they talk yesterday? Yes, they did. / No, they didn't.	*¿Hablaron ellos ayer?* *Sí. / No.*
Did the man forget something? Yes, he did. / No, he didn't.	*¿Olvidó algo el hombre?* *Sí. / No.*

forma negativa en pasado, pg. 48
contestaciones abreviadas, pg. 54

Expresiones que indican el pasado

En una lección anterior, usted practicó algunas palabras y expresiones que indican el pasado.

yesterday	*ayer*
the day before yesterday	*anteayer*
last (night, evening)	*anoche*
last (week, month, year)	*la semana pasada, el mes pasado, el año pasado*
last (Saturday, May)	*el pasado (sábado, mayo)*

He aquí otra palabra que indica el pasado.

ago They left two days ago.
Se fueron hace dos días.

I started this job three months ago.
hace *Empecé este trabajo hace tres meses.*

La palabra **until** (hasta) puede usarse para hablar de acciones que ocurrieron en el pasado.

He worked until 8:00 PM.
Él trabajó hasta las ocho de la noche.

We lived in the country until I was 5 years old.
Nosotros vivimos en el campo hasta que yo tuve cinco años de edad.

palabras **ago** y **until**, pg. 39

2 Clase

Se puede hablar del pasado indicando un periodo de tiempo determinado con las palabras **from** (+ periodo de tiempo) y **until** (+ periodo de tiempo).

He worked from 6:00 PM until 8:00 PM.
Él trabajó desde las seis de la tarde hasta las ocho de la noche.

They talked on the phone from midnight until 3:00 AM.
Ellos hablaron por teléfono desde la medianoche hasta las tres de la mañana.

She was sick from Wednesday until Sunday.
Ella estuvo enferma desde el miércoles hasta el domingo.

También se indica el pasado al usar una fecha determinada.

On January 1, 2000, we went to a big party.
El 1 de enero de 2000, fuimos a una gran fiesta.

On March 22, 1999 my mother visited New York.
El 22 de marzo de 1999, mi madre visitó Nueva York.

¿Estudió usted hoy? ¿Hace cuánto tiempo qué lo hizo? ¿A qué hora empezó y a qué hora terminó? Practique usando las palabras **ago** (hace), **from** (desde) y **until** (hasta). Por ejemplo: **I studied for three hours, from 2:00 p.m. until 5:00 p.m.** (Estudié por tres horas, desde las 2:00 de la tarde hasta las 5:00.) **I finished studying an hour ago.** (Terminé de estudiar hace una hora.)

usos del pasado simple, pg. 38

En la ciudad, en las afueras, en el campo

Las expresiones **in the city** (en la ciudad), **in the suburbs** (en las afueras) y **in the country** (en el campo) nos indican dónde vive la gente.

In the city puede usarse para describir una gran ciudad. Nos referimos por regla general a un área donde se mezclan edificios comerciales, edificios de oficinas y edificios residenciales. La gente que vive en la ciudad suele vivir en edificios de apartamentos, **townhouses** (casas adosadas) y casas.

Do you live in the city?
¿Vive usted en la ciudad?

In the suburbs describe el área que circunda el centro de la ciudad, una área residencial. La mayoría de la gente que vive en las afueras vive en casas, en pequeños edificios de apartamentos o en casas adosadas.

My parents live in the suburbs.
Mis padres viven en las afueras.

Cuando una persona dice que vive en el campo se refiere a un área rural sin grandes centros comerciales o edificios altos. Las granjas, por ejemplo, están en el campo.

I don't like cities. My family lives in the country.
No me gusta la ciudad. Mi familia vive en el campo.

2 Diálogo

Éste es el texto completo del diálogo incluido en el video. Usted hará el papel del espectador **(viewer)**. Si le hacen una pregunta personal, conteste usando información personal. Tenga en cuenta que las respuestas del espectador que le proporcionamos no son las únicas respuestas correctas.

Háblame de la fiesta

Ann	Did you go to Tony's party last night? *¿Fue usted a la fiesta de Tony anoche?*
Viewer *(Usted)*	No, I didn't. Did you? *No. ¿Y usted?*
Ann	No. *No.*
Ann	Did you go to Tony's party last night? *¿Fuiste a la fiesta de Tony anoche?*
Leslie	Yes, I did. *Sí.*
Ann	How was it? *¿Qué tal estuvo?*
Leslie	Oh, it was a lot of fun. *Oh, fue muy divertida.*
Ann	Tell me about it. *Cuéntame.*

Leslie	Well, there was a lot of food. I ate too much. We danced and played games. I talked to a lot of people. *Bueno, había mucha comida. Comí demasiado.* *Bailamos y jugamos juegos. Hablé con mucha gente.*
Ann	Who was at the party? *¿Quién estaba en la fiesta?*
Leslie	Well, there were a lot of people. Stacey and Sam were there. They came with Stacey's cousin, Justine, and her boyfriend, Matthew. *Bueno, había mucha gente. Stacey y Sam estaban allí.* *Vinieron con la prima de Stacey, Justine, y su novio, Matthew.*
Ann	Was Dan at the party? *¿Estaba Dan en la fiesta?*
Leslie	Yes, he was. He came with… …Mark and John. They walked in at about eight-thirty. *Sí. Él vino con…* *…Mark y John. Llegaron alrededor de las ocho y media.*
Ann	Oh! Did you talk to him? *¡Oh! ¿Hablaste con él?*

2 Diálogo

Leslie	Yes. He said that he came to the party to see you! *Sí. ¡Él dijo que vino a la fiesta para verte!*
Ann	Really? *¿De verdad?*
Leslie	Yes! Why didn't you go to the party? *¡Sí! ¿Por qué no fuiste a la fiesta?*
Ann	Oh, I was busy. I helped Robert with his homework. Why didn't you come to the party? *Oh, estaba ocupada. Ayudé a Robert con sus tareas. ¿Por qué no fue usted a la fiesta?*
Viewer *(Usted)*	Because________________. *Porque*________________.

Lección

P

P Vocabulario

Le recomendamos que lea las palabras del vocabulario antes de ver el video correspondiente a esta lección. Éstas son las palabras más importantes de esta lección.

(to) recommend	*recomendar*
(to) record	*grabar*
(to) taste	*probar*
(to) wait	*esperar*

Apuntes

Verbos en pasado

Recuerde: para indicar el pasado, se añade **ed** al final de los verbos regulares. Si el verbo termina en **e**, sólo tiene que añadir una **d**.

(to) dine	dined	*cenar*
(to) like	liked	*gustar*
(to) taste	tasted	*probar*

La pronunciación de los verbos en pasado

Si el verbo termina en sonido de vocal, las letras **ed** se pronunciarán como la letra **d**.

ski	stay	play
skied	stayed	played

Si el verbo termina en una de las siguientes consonantes, o si el final del verbo se pronuncia como una de las siguientes consonantes

b, g, j, m, n, r, v, w, y, z

entonces, las letras **ed** también se pronunciarán como la letra **d**.

waved learned studied

Si el verbo termina en una de las siguientes consonantes, o si el final del verbo se pronuncia como una de las siguientes consonantes

f, h, k, p, q, s, ch, sh

entonces, las letras **ed** se pronunciarán como la letra **t**.

watched washed talked

3 Notas

Lección

3

3 Notas

Vocabulario 3

Le recomendamos que lea las palabras del vocabulario antes de ver el video correspondiente a esta lección. Éstas son las palabras más importantes de esta lección.

can	*puedo, puedes, puede, podemos, pueden*
	sé, sabes, sabe, sabemos, saben
cannot (can't)	*no puedo, no puedes, no puede, no podemos, no pueden*
	no sé, no sabes, no sabe, no sabemos, no saben
apartment building	*edificio de apartamentos*
apartment	*apartamento, departamento*
house	*casa*
townhouse	*casa adosada*
furniture	*muebles, mobiliario*
appliance	*electrodoméstico*
room	*habitación, sala*
living room	*sala de estar*
lamp	*lámpara*
sofa	*sofá*
coffee table	*mesita para el café*
	mesa de centro
bedroom	*dormitorio, cuarto*
bed	*cama*
nightstand	*mesilla de noche*
dresser	*cómoda*
dining room	*comedor*
table	*mesa*
chair	*silla*

3 Vocabulario

kitchen	*cocina*
refrigerator	*refrigerador*
stove	*estufa, cocina*
bathroom	*cuarto de baño, aseo*
bathtub	*bañera, tina*
toilet	*inodoro*
sink	*lavamanos, pila*
towel	*toalla*
shower	*ducha, regadera*
attic	*ático*
basement	*sótano*

Más vocabulario

studio apartment	*estudio*
efficiency apartment	*estudio*
in common	*en común*
other	*otro/a, otros/as*
so	*pues, por lo tanto*
(to) lose	*perder*
lost	*perdido*
(to) bring	*traer*
brought	*traje, trajiste, trajo, trajimos, trajeron*
	traía, traías, traía, traíamos, traían
Don't worry.	*No te preocupes. No se preocupe.*
hamburger	*hamburguesa*

Elementos esenciales

Esta sección destaca los elementos básicos de esta lección. Lea detenidamente lo que incluimos en ella.

can't = cannot

(to) bring	*traer*
brought	*traje, trajiste, trajo, trajimos, trajeron*
	traía, traías, traía, traíamos, traían

(to) lose	*perder*
lost	*perdí, perdiste, perdió, perdimos, perdieron*
	perdía, perdías, perdía, perdíamos, perdían

Aprenda y practique

Le recomendamos que aprenda las expresiones y oraciones que se incluyen en esta lección. Practique usando lo aprendido cada día.

rooms	*habitaciones*
living room	*sala de estar*
bedroom	*dormitorio*
bathroom	*baño*
dining room	*comedor*
kitchen	*cocina*

Vocabulario

<u>furniture</u>	*<u>muebles</u>*
sofa	*sofá*
chair	*silla*
lamp	*lámpara*
coffee table	*mesita para el café*
	mesa de centro
bed	*cama*
dresser	*cómoda*
nightstand	*mesilla de noche*
table	*mesa*
chairs	*sillas*
<u>bathroom fixtures</u>	*<u>sanitarios</u>*
sink	*lavamanos, pila*
toilet	*inodoro*
bathtub	*tina, bañera*
shower	*regadera, ducha*
<u>kitchen appliances</u>	*<u>electrodomésticos de cocina</u>*
refrigerator	*refrigerador*
stove	*estufa, cocina*

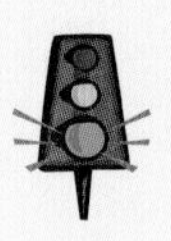

Identifique diferentes cosas alrededor de su casa. ¿Tiene usted muchos dormitorios? ¿Qué hay en su cocina?¿Tiene usted una cafetera? En un papel escriba los nombres de las cosas que hay en su casa, ya sean muebles u otros aparatos y colóquelo sobre cada cosa. Después de unos días, remuévalo y vea si puede recordar los nombres de cada una de estas cosas.

Clase 3

Apuntes

Las viviendas

Hay muchas clases de viviendas. Éstas son las más comunes.

single-family home	*casa*
townhouse	*casa adosada*
apartment	*departamento, apartamento*

¿Qué tienen en común?

Todos las viviendas tienen ciertas cosas en común: el tipo de habitaciones, el mobiliario y los electrodomésticos de la cocina. Sin embargo, el número de cuartos y la cantidad de muebles varían. Dado que la mayoría de las viviendas tienen una cocina y una sala, el tamaño de las mismas está indicado por la cantidad de dormitorios y/o baños. Veamos algunos ejemplos.

a four-bedroom house
una casa de cuatro dormitorios

a three-bedroom, three-bath house
una casa de tres dormitorios y tres baños

a two-bedroom apartment
un apartamento de dos dormitorios

a two-bedroom, two-bath apartment
un apartamento de dos dormitorios y dos baños

3 Clase

Las palabras **studio** o **efficiency apartment** (estudio) se refieren a un pequeño apartamento. Generalmente tiene un solo cuarto que sirve de dormitorio y sala a la vez. Tiene un pequeño baño. A veces, dispone de una cocina pequeña.

Palabras con el mismo significado

En inglés, encontrará con frecuencia más de una palabra que sirve para describir o indicar el mismo objeto. Estas palabras se llaman sinónimos.

bathtub	tub	*bañera*
stove	oven, range	*estufa, horno*
refrigerator	fridge	*refrigerador*
sofa	couch	*sofá*
lamp	light	*lámpara*
bathroom	restroom	*baño*

(to) sweep it under the rug

Quiere decir "barrer [algo] debajo de la alfombra" y se utiliza cuando alguien trata de ignorar o esconder algo.

— Did you ask her about the missing money?
— Yes, I did, but she swept it under the rug and changed the subject.

— *¿Le preguntaste a ella por el dinero que falta?*
— *Sí, se lo pregunté, pero lo ignoró y cambió de tema.*

"Can" y "Can't"

Can se usa con la forma simple del verbo para indicar habilidad:

I can speak English.
Yo sé hablar inglés.

He can drive a car.
Él sabe manejar un automóvil.

They can swim.
Ellos saben nadar.

o para indicar posibilidad:

You can put a sofa in the living room.
Usted puede poner un sofá en la sala.

It can snow here in January.
Aquí puede nevar en enero.

Para hacer preguntas sobre habilidad o posibilidad, use el siguiente modelo de oración:

Can you speak English?
¿Sabe hablar inglés?

Can he drive a car?
¿Sabe manejar él un automóvil?

Can they swim?
¿Saben nadar?

uso del verbo **can**, pg. 56

Can you put a sofa in the living room?
¿Puedes poner un sofá en la sala?

Can it snow here in January?
¿Puede nevar aquí en enero?

Para construir una oración negativa con **can**, use **cannot** o su forma abreviada **can't.**

I can't speak French.
Yo no sé hablar francés.

She can't cook.
Ella no sabe cocinar.

They can't swim.
Ellos no saben nadar.

It can't snow here in June.
No puede nevar aquí en junio.

La palabra **can** sirve para expresar habilidad o para hacer una petición amable. Pídale ayuda a alguien hoy usando este verbo auxiliar. **Can you help me**? (¿Puede usted ayudarme?) También puede ofrecer su ayuda a alguien: **Can I help you**? (¿Puedo ayudarlo?)

forma negativa, pg. 48

Diálogo 3

Éste es el texto completo del diálogo incluido en el video. Usted hará el papel del espectador (**viewer**). Si le hacen una pregunta personal, conteste usando información personal. Tenga en cuenta que las respuestas del espectador que le proporcionamos no son las únicas respuestas correctas.

Mudándose

Amy — Hi, Ann. This is Amy.
Hola, Ann. Soy Amy.

Ann — Hi, Amy. How are you?
Hola, Amy. ¿Cómo estás?

Amy — I'm great, thanks. How are you doing?
Estoy muy bien, gracias. ¿Cómo estás?

Ann — Oh, I'm OK, but I'm very tired.
Oh, estoy bien, pero muy cansada.

Amy — Why?
¿Por qué?

Ann — Because some friends of mine are moving to a new house. We helped them all day!
Porque unos amigos míos se están mudando a una casa nueva. ¡Los hemos ayudado todo el día!

Amy — Is it a big house?
¿Es una casa grande?

Ann	Yes, it has three bedrooms and three bathrooms. *Sí, tiene tres dormitorios y tres baños.*
Amy	How many bathrooms? *¿Cuántos baños?*
Viewer *(Usted)*	Three. *Tres.*
Amy	Terrific! Now they can buy more towels! *¡Genial! ¡Ahora pueden comprar más toallas!*
Ann	Yes, I guess so! The kitchen is also nice. *¡Sí, eso creo! La cocina también es linda.*
Amy	Are the appliances good? *¿Son buenos los electrodomésticos?*
Ann	The refrigerator is a little old, but the stove is new. *El refrigerador es un poco viejo, pero la estufa es nueva.*
Amy	Is the refrigerator new? *¿Es nuevo el refrigerador?*
Viewer *(Usted)*	No, the refrigerator is old. The stove is new. *No, el refrigerador es viejo. La estufa es nueva.*
Amy	We bought a new refrigerator and a new stove. *Compramos un refrigerador nuevo y una estufa nueva.*

Ann	You did? That's great. I know you like to cook. *¿Ah, sí? Eso es fantástico. Sé que te gusta cocinar.*
Amy	Yes, Bill and I both like to cook. Let's get together sometime for dinner. *Sí, a Bill y a mí nos gusta cocinar.* *Cenemos juntos alguna vez.*
Ann	Of course! That would be great! *¡Por supuesto! ¡Eso sería fantástico!*

4 Notas

Lección 4

4 Notas

Vocabulario 4

Le recomendamos que lea las palabras del vocabulario antes de ver el video correspondiente a esta lección. Éstas son las palabras más importantes de esta lección.

hall	*pasillo*
door	*puerta*
closet	*armario*
carpet	*alfombra*
rug	*tapete*
floor	*suelo*
ceiling	*techo*
wall	*pared*
dryer	*secadora*
washer	*lavadora*
laundromat	*lavandería*
fireplace	*chimenea*
garage	*garage*
parking lot	*estacionamiento*
parking	*estacionamiento*
yard	*patio, jardín*
clothes	*ropa*
lobby	*vestíbulo*
window	*ventana*
ground floor	*planta baja*
air conditioning	*aire acondicionado*
central air conditioning	*aire acondicionado central*

wall-to-wall carpeting	*alfombrado de pared a pared*
convenient	*práctico, cómodo*
crowded	*lleno*
close	*cerca*
(to) own	*ser dueño(a), propietario(a) de*
(to) rent	*alquilar*
owner	*dueño(a), propietario(a)*
renter	*inquilino*

Más vocabulario

rule	*regla, norma*
permission	*permiso*
money	*dinero*
positives	*aspectos positivos*
negatives	*aspectos negativos*
furnished	*amueblado(a)*
unfurnished	*sin amueblar*
utilities included	*gastos de agua, gas y electricidad incluidos*
home	*hogar*
idea	*idea*
heart	*corazón*
anyone	*cualquiera*
anyone else	*alguien más*
anything	*cualquier cosa*
anything else	*algo más*
(to) clean	*limpiar*
(to) park	*estacionar*
(to) wash	*lavar*

Elementos esenciales

Esta sección destaca los elementos básicos de esta lección. Lea detenidamente lo que incluimos en ella.

someone *alguien*	no one *nadie*	anyone *cualquiera*	everyone *todo el mundo*
something *algo*	nothing *nada*	anything *cualquier cosa*	everything *todo*
somewhere *en algún lugar*	nowhere *en ningún lugar*	anywhere *en cualquier lugar*	everywhere *en todas partes*

Aprenda y practique

Le recomendamos que aprenda las expresiones y oraciones que se incluyen en esta lección. Practique usando lo aprendido cada día.

Is the apartment furnished?
¿Está amueblado el apartamento?

Is the apartment unfurnished?
¿Está sin amueblar el apartamento?

Is the apartment convenient?
¿Es cómodo el apartamento?

Is the apartment new?
¿Es nuevo el apartamento?

Does the apartment have air conditioning?
¿El apartamento tiene aire acondicionado?

Does the apartment have a parking lot?
¿El apartamento tiene estacionamiento?

Does the apartment have wall-to-wall carpeting?
¿El apartamento está alfrombrado de pared a pared?

Does the apartment have a washer and dryer?
¿El apartamento tiene lavadora y secadora?

two bedrooms?
dos dormitorios?

lots of closets?
muchos armarios?

lots of windows?
muchas ventanas?

(to) mend fences

"Arreglar cercas" es su traducción literal, pero esta expresión significa "resolver disputas" o "reparar daños".

My boss was angry with me because I was late twice last week. But now I am going to mend fences by doing a really good job.

Mi jefe estaba enojado conmigo porque llegué tarde dos veces la semana pasada. Pero ahora voy a reparar el daño haciendo un buen trabajo.

Apuntes

Buscar una vivienda

Cuando usted está buscando un lugar para vivir, las comodidades de las casas y apartamentos son importantes. En los anuncios de casas y apartamentos, se usan muchas abreviaturas para describir dichas comodidades. Veamos algunas de las abreviaturas más usuales.

AC	air conditioning	*aire acondicionado*
BA	bathroom	*baño*
BD	bedroom	*dormitorio*
Bsmt	basement	*sótano*
CAC	central air conditioning	*aire acondicionado central*
DR	dining room	*comedor*
DW	dishwasher	*lavaplatos*
Fplc	fireplace	*chimenea/hogar*
Furn	furnished	*amueblado*
Gar	garage	*garage*
KIT	kitchen	*cocina*
LR	living room	*sala*
Prkg	parking	*estacionamiento*
Rm	room	*cuarto*
TH	townhouse	*casa adosada*
Unfurn	unfurnished	*sin amueblar*
Utils incl	utilities included	*gastos de electricidad, agua y gas incluidos*
W/D	washer dryer	*lavadora y secadora*
WW	wall-to-wall carpeting	*alfombrado de pared a pared*

4 Clase

Palabras que tienen el mismo significado

carpet	rug	*alfombra*
ground floor	first floor	*planta baja*

Normas

La mayoría de los edificios de apartamentos y barrios residenciales han establecido normas de convivencia. La gerencia o los propietarios de las viviendas crean dichas normas para evitar que se dañe la propiedad y hacer que la vida sea más placentera para los residentes. Asegúrese de leer las normas o reglas antes de mudarse a una nueva vivienda.

Veamos algunos ejemplos.

No pets.
Se prohiben los animales domésticos.
No smoking.
Se prohibe fumar.
No loud noise after 11:00 PM.
Se prohibe hacer ruido después de las once de la noche.
No guest parking.
No hay estacionamiento para visitantes.

Usar "can" para pedir permiso

En la lección anterior, vimos que la palabra can indicaba habilidad o posibilidad.

I can speak English.
Yo sé hablar inglés.

He can't swim.
Él no sabe nadar.

Can cumple también otra función: pedir permiso.

Can I open the door?
¿Puedo abrir la puerta?

You can watch TV after dinner.
Puedes ver la televisión después de cenar.

Hay otra palabra que sirve para pedir permiso: la palabra **may**

May I open the door?
¿Puedo abrir la puerta?

En oraciones como ésta, **can** y **may** tienen el mismo significado. **Can** es más común en el idioma hablado, pero siempre es más apropiado usar **may**.

La palabra **may** se debe usar solamente en primera persona cuando se pide algo amablemente. Practique y haga una petición amable usando la palabra **may**, por ejemplo: **May I help you**? (¿En qué lo puedo ayudar?)

usos del verbo **can**, pg. 56

¿Algo más?

someone	no one	anyone	everyone
something	nothing	anything	everything
somewhere	nowhere	anywhere	everywhere

Éstas son palabras muy útiles en inglés. **Every** significa "todo" y se usa en oraciones y preguntas.

Everyone came at 4:00.
Todos vinieron a las cuatro.

Did everyone come at 4:00?
¿Vinieron todos a las cuatro?

Everything is on the table.
Todo está sobre la mesa.

Is everything on the table?
¿Está todo sobre la mesa?

We looked everywhere.
Nosotros miramos en todas partes.

Did you look everywhere?
¿Miraron ustedes en todas partes?

No es de significado opuesto a **every**. Las palabras tales como **no one, nothing,** o **nowhere** no se usan para hacer preguntas.

No one came to the party.
No vino nadie a la fiesta.

He did nothing all morning.
Él no hizo nada en toda la mañana.

It was nowhere in the room.
No estaba en ninguna parte del cuarto.

Some indica una parte. Se puede usar en oraciones y preguntas.

There's someone in the garden.
Hay alguien en el jardín.

Is someone in the garden?
¿Hay alguien en el jardín?

Something hit me. *Algo me golpeó.*	Did something hit you? *¿Le golpeó algo?*
It's somewhere in the closet.	*Está en alguna parte del armario.*
Is it somewhere in the closet?	*¿Está en alguna parte del armario?*

Any se usa sólo en oraciones negativas y preguntas.

Don't call anyone. *No llames a nadie.*	Did anyone call last night? *¿Llamó alguien anoche?*
Don't touch anything. *No toques nada.*	Is there anything in the refrigerator? *¿Hay algo en el refrigerador?*
Don't go anywhere. *No vayas a ninguna parte.*	Is it anywhere near here? *¿Está cerca de aquí?*

"Else"

Else significa "algo" o "alguien más".

Kelly called me last night. Did anyone else call?	*Kelly me llamó anoche.* *¿Llamó alguien más?*
There is a book on the table. Is there anything else there?	*Hay un libro sobre la mesa.* *¿Hay algo más allí?*
I went to school. Did you go anywhere else?	*Yo fui a la escuela.* *¿Fue usted a otro lugar?*

4 Diálogo

Éste es el texto completo del diálogo incluido en el video. Usted hará el papel del espectador (viewer). Si le hacen una pregunta personal, conteste usando información personal. Tenga en cuenta que las respuestas del espectador que le proporcionamos no son las únicas respuestas correctas.

El nuevo apartamento

Dan	That's a great apartment. *Ése es un apartamento fantástico.*
Kathy	It's OK. *Está bien.*
Dan	OK? OK? What do you think? *¿Bien?* *¿Bien? ¿Y a usted qué le parece?*
Viewer *(Usted)*	I think the apartment is ____________. *Yo creo que el apartamento es______.*
Dan	I think it's a great apartment. It has two bathrooms and a dining room. All the appliances are new. *Creo que es un apartamento fantástico.* *Tiene dos baños y un comedor.* *Todos los electrodomésticos son nuevos.*
Kathy	Yes, I know. *Sí, lo sé.*

Dan

The living room is big, too.
We can put a large sofa AND two chairs in the living room.
La sala es grande también.
Podemos poner un sofá grande y dos sillas en la sala.

Kathy

That's true. I like the apartment.
I don't like the apartment building.
Es verdad. El apartamento me gusta.
No me gusta el edificio.

Dan

Why?
¿Por qué?

Kathy

Did you see all the rules?
¿Viste todas las reglas?

Dan

No. Did you see the rules?
No. ¿Vio usted las reglas?

Viewer
(Usted)

No, I didn't.
No, no las vi.

Kathy

We can't have pets. We can't have parties.
And my friends can't park in the parking lot.
No podemos tener animales domésticos.
No podemos hacer fiestas.
Y mis amigos no pueden estacionar en el estacionamiento.

Dan
Oh, I didn't know.
Maybe that's not a bad idea…
Oh, no lo sabía.
Tal vez eso no sea mala idea…

Kathy
Dad!
¡Papá!

Lección

V

Aprendamos viajando

Home is where the heart is. For many people who live in Florida, their heart may be in another country. About 50% of the total population of Florida immigrated to the Sunshine State.

The Sunshine State is blessed with good weather and beautiful beaches that are crowded nearly all year. Florida is surrounded by water—The Atlantic Ocean to the east and the Gulf of Mexico to the west.

Florida is the home of Miami, Daytona Beach, the Everglades, art deco hotels, nightlife, and miles of beautiful beaches.

Miami is the largest city in Florida. About two million people live in this exciting, sprawling community. Miami is a popular vacation destination with people from around the world.

Of the 45 million passengers that go through the Miami International Airport every year, more than half of them arrive from international destinations. Florida is a vacation destination. And it's easy to see why.

"The beaches are very nice. The water is beautiful during the summer."

The center of Miami is the corner of Flagler Street and Miami Avenue. Throughout Miami, avenues run north-south and streets run east-west.

The Port of Miami is the busiest cruise ship port in the world. At least 10,000 people board luxury cruise ships here every week.

El hogar es el lugar donde está el corazón. Puede que numerosos residentes de Florida hayan dejado su corazón en otro país. Alrededor del cincuenta por ciento de la población total de Florida inmigró al "Estado del Sol".

El "Estado del Sol" está dotado de un clima agradable y de playas hermosas y abarrotadas casi todo el año. Florida está rodeada de agua; el océano Atlántico está al este y el golfo de México, al oeste.

Miami, Daytona Beach, los Everglades, los hoteles "art déco", la vida nocturna y millas de hermosas playas; todo ello está en Florida.

Miami es la ciudad más grande de Florida. Unos dos millones de personas viven en esta ciudad fascinante y en pleno crecimiento. Miami es un destino turístico muy popular entre los viajeros de todo el mundo.

De los cuarenta y cinco millones de pasajeros que pasan cada año por el Aeropuerto Internacional de Miami, más de la mitad llegan del extranjero. Florida es un destino turístico. Y es fácil entender por qué.

"Las playas son muy lindas. El agua es muy agradable en verano."

El centro de Miami está en la esquina de la calle Flagler y de la avenida Miami. En Miami, las avenidas van de norte a sur y las calles van de este a oeste.

El Puerto de Miami es el puerto de barcos de crucero con más actividad del mundo entero. Cada semana, al menos diez mil personas embarcan en lujosos barcos de crucero.

V Aprendamos viajando

Known as Little Havana for more than 40 years, this area is now officially called the Latin Quarter to reflect the makeup of the residents who are from many countries, including Nicaragua, Honduras, El Salvador, and, of course, Cuba. The Cuban community has the largest immigrant population. The Latin Quarter is famous for its food, nightlife, theaters, churches and… its cigars.

Street festivals, nightlife and beautiful homes can be found in Coconut Grove. South Beach is known for it's art deco architecture, casual lifestyle and, of course, its beaches.

There are many ways to enjoy the beaches of Florida—walking, swimming, parasailing, and just sunning on the sand, watching the waves and the people.

"I can't explain it. Miami is a city—you either love it or you hate it. If you're not open minded, you won't like it."

Only ten minutes from downtown Miami is the Rickenbacker Causeway which takes you to the Florida Keys, a group of islands just off the coast. Key West is one of the most popular islands.

It is the home of the southernmost point in the United States. Key West is also where Ernest Hemingway wrote one of his most famous books, "For Whom the Bell Tolls."

Conocida como Little Havana (la pequeña Habana) desde hace más de cuarenta años, esta zona se llama ahora oficialmente el Barrio Latino, reflejando la diversidad de orígenes de sus residentes que provienen de numerosos países tales como Nicaragua, Honduras, El Salvador y, por supuesto, Cuba. La comunidad cubana tiene el mayor número de inmigrantes. El Barrio Latino es famoso por su comida, su vida nocturna, sus teatros, sus iglesias y… sus cigarros.

En Coconut Grove, encontrará festivales callejeros, vida nocturna y casas hermosas. La zona de South Beach es conocida por su arquitectura "art déco", su estilo de vida informal y, por supuesto, sus playas.

Hay muchas maneras de disfrutar de las playas de Florida; caminando, nadando, haciendo esquí acuático con paracaídas y simplemente tomando el sol en la arena, mirando las olas y observando a la gente.

"No sé cómo explicarlo. Miami es una ciudad a la que se ama o se odia. Si usted no es una persona de miras amplias, Miami no le va a gustar."

La autopista Rickenbacker Causeway, que está a sólo diez minutos del centro de Miami, le lleva a los cayos de Florida, un grupo de islas a poca distancia de la costa. Key West es una de las islas más populares.

Key West es el punto más austral del territorio continental de los Estados Unidos. Allí fue donde Ernest Hemingway escribió uno de sus libros más famosos, "Por quién doblan las campanas".

Aprendamos viajando

Going north from Miami, there are endless miles of clean beaches and the intercoastal waterway. Boca Raton, one stop on the intercoastal waterway, is full of elegant homes and well-tended lawns.

Palm Beach is actually an island. The pace of life here is like a resort with lots of golf courses, hotels, and people with money.

The Cloisters of the Monastery of St. Bernard de Clairvaux was brought from Segovia, Spain to Florida in the 1920s. It wasn't rebuilt, however, until 1954. It opened as a tourist attraction but is now a house of worship as well as a museum.

Further north is Daytona Beach.

St. Augustine is the oldest city in the United States. Don Juan Ponce de Leon landed here in 1513 and named the land Florida—"Land of Flowers." St. Augustine is a beautiful city with more than 40 miles of beaches. Many famous historic sites in the city have been preserved, including several forts. The Cathedral of St. Augustine is a beautiful place to stop. St. Augustine is a great place to take a relaxing tour of history.

On the Gulf Coast of Florida and less than an hour's drive from Miami is Everglades National Park. The Everglades cover 1.5 million acres of land.

Si nos dirigimos al norte desde Miami, veremos millas y millas de playas limpias y la vía fluvial intercostal. Boca Ratón, una parada en dicha vía fluvial, está llena de casas elegantes y de jardines muy cuidados.

Palm Beach es en realidad una isla. El ritmo de vida es el de un complejo hotelero en el que se han instalado muchos campos de golf, hoteles y gente rica.

En los años veinte, los claustros del Monasterio de St. Bernard de Clairvaux se transportaron desde Segovia en España hasta Florida. Sin embargo, no fueron reconstruidos hasta 1954. De ser una simple atracción turística, se han convertido en un lugar de culto y un museo.

Daytona Beach está más al norte.

St. Augustine es la ciudad más antigua de los Estados Unidos. Juan Ponce de León desembarcó aquí en 1513 y llamó a estas tierras Florida, "la tierra de las flores". St. Augustine es una bella ciudad que dispone de más de cuarenta millas de playas. Se han conservado numerosos lugares históricos en la ciudad, en los que se incluyen numerosos fuertes. La catedral de St. Augustine es un bello lugar turístico. St. Augustine es un gran lugar para hacer una excursión histórica relajante.

El parque nacional de Everglades está en la costa del golfo de Florida, a menos de una hora en automóvil desde Miami. El Everglades abarca un territorio de un millón y medio de acres.

A 200-mile long, six-inch deep river of grass is home to more than 300 species of birds, dozens of reptiles, and 20 types of mammals—including crocodiles, ostriches, water buffalo, bison and gazelles.

There are other notable places in Florida. The Kennedy Space Center is in Cape Canaveral, Florida. The Visitor Center and Astronaut Hall of Fame are two popular sites. The Space Shuttles are launched from here. If you are lucky and the weather is good you'll be able to watch a launch.

Florida is truly a haven for tourists and has earned its nickname—the Sunshine State.

Un río de césped de doscientas millas de largo y seis pulgadas de profundidad alberga a más de trescientas especies de aves, docenas de reptiles y veinte clases diferentes de mamíferos tales como cocodrilos, avestruces, búfalos, bisontes y gacelas.

Hay otros lugares destacados en Florida. El Centro Espacial Kennedy está en Cabo Cañaveral. El centro para visitantes y el Salón de la Fama de los Astronautas son dos lugares populares. Aquí se realiza el lanzamiento de las naves espaciales. Con suerte y con buen clima, usted podrá ser testigo de un lanzamiento espacial.

Florida es un verdadero paraíso turístico y se ha ganado el apodo de "Estado del Sol".

C

Aprendamos cantando

Lección
C

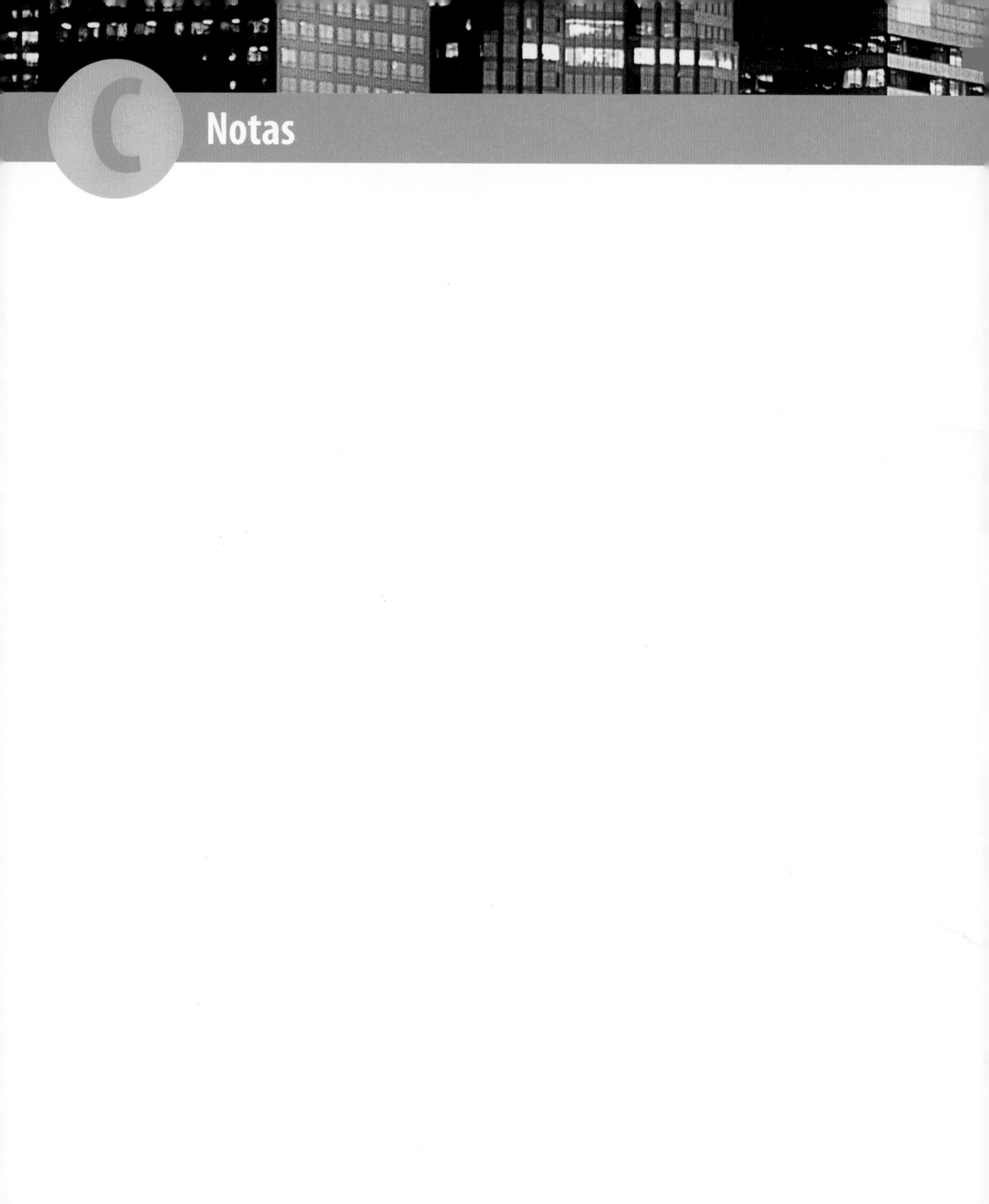

Notas

Aprendamos cantando C

Música y letra
Carl Lee Perkins

La música y letra de las canciones se encuentran en los videos. Localice la sección titulada "Aprendamos cantando" en su video.

Blue Suede Shoes

Bienvenido a **Aprendamos cantando**, la sección de Inglés sin Barreras donde aprende el inglés de la vida diaria escuchando y cantando conocidas canciones en inglés.

Blue Suede Shoes fue uno de los grandes éxitos del rey del Rock'n Roll, Elvis Presley. Presley interpretó esta canción en G.I. Blues, una de las películas musicales que protagonizó. **Blue Suede Shoes** no fue compuesta por Elvis Presley, sino por Carl Perkins, quien también compuso temas para los Beatles.

Esta canción contiene una frase idiomática muy común: **lay off** , que significa "no te metas".
Lay off of my blue suede shoes significa pues "no te metas con mis zapatos de ante azul".

Nota: **Lay off!** significa lo mismo que **Don't mess with me!** (¡No te metas conmigo! ¡Déjame en paz!) Como en español, no son frases muy corteses, ¡pero le resultará útil en ciertas circunstancias!

C Aprendamos cantando

It's, que es la contracción de **it is** (eso es) es una de las palabras más comunes del idioma inglés. El apóstrofo aquí es muy importante porque, sin él, la palabra **its** (suyo/suya/suyos/suyas) tiene un significado totalmente distinto y denota posesión.

Otra contracción que ya le resultará muy familiar es **don't**, que procede de las palabras **do not** (no).

La frase **all over the place** (por todas partes) contiene una expresión muy común en el inglés hablado. **All over** significa "por todas partes", no "todo encima".

¡Ojo! **All over** es una frase idiomática que también significa "otra vez", o "desde el principio". Por ejemplo, para decir "haz esto otra vez" diríamos **do this over**. Pero si quisiéramos enfatizar que se debe repetir algo por completo diríamos: **start all over.**

El verbo **to get** (adquirir, obtener, agarrar, tomar) es uno de los verbos más comunes del idioma inglés y usted lo encontrará por todas partes. Se utiliza con mucha frecuencia ya que, además de su significado literal, se puede utilizar en otros sentidos. Por ejemplo, si alguien le dice **I don't get it**, no le están diciendo que no van "a agarrar algo". Lo que le están diciendo es "no entiendo", porque **to get** también significa "comprender" en algunos casos. En esta canción, encontrará la frase **to get ready**, que significa "prepararse" o "estar preparado". Fíjese en otras expresiones que utilizan **get** en este mismo sentido:

- to get going (irse).
- to get started (empezar).
- to get moving (moverse).

Wanna es la forma coloquial y abreviada de decir **want to** (quiero/quieres/quiere/queremos/quieren). **Do anything you wanna do**, es lo mismo que **Do anything you want to do** (haz lo que quieras).

En esta canción el cantante utiliza dos apodos cariñosos, **honey**, que literalmente significa "miel" y es el equivalente de "cielo" o "cariño" en español, y **baby,** que literalmente significa "bebé".

Uh, uh es una expresión que en el inglés hablado significa "no". Fíjese bien en cómo se pronuncia: "a-a". No la confunda con **Uh, huh** (a-já), que significa "sí".

Ahora, diviértase imitando a Elvis Presley y cantando Blue Suede Shoes.

(to) bring home the bacon

Su traducción literal es "traer a casa el tocino" y se aplica a la persona que mantiene económicamente a la familia.

— Do you think that losing your job is the worst that can happen to you?
— Well, if I don't work, who is going to bring home the bacon?

— *¿Crees que perder tu trabajo es lo peor que te podría suceder?*
— *Bueno, si no trabajo, ¿quién va a mantener a mi familia?*

Aprendamos cantando

Blue Suede Shoes

Well, it's one for the money
Two for the show
Three to get ready
Now go, cat, go
But don't you
Step on my blue suede shoes
You can do anything
But lay off of my blue
suede shoes

You can knock me down
Step in my face
Slander my name all over
the place
Do anything that you wanna do
But uh, uh
Honey, lay off of my shoes
But don't you
Step on my blue suede shoes
You can do anything
But lay off of my blue
suede shoes

Well, you can burn my house
Steal my car
Drink my cider
From an old fruit jar
Do anything that you wanna do

Zapatos de ante azul

Pues, a la una por el dinero
A las dos por la función
A las tres para estar listo
Ahora vamos, gato, vamos
Pero no
Pises mis zapatos de ante azul
Haz lo que quieras
Pero no toques mis zapatos de
ante azul

Puedes derribarme
Pisarme en la cara
Calumniarme por
todas partes
Hacer lo que quieras hacer
Pero no
Cariño, no toques mis zapatos
Pero no
Pises mis zapatos de ante azul
Haz lo que quieras
Pero no toques mis zapatos de
ante azul

Pues, puedes quemar mi casa
Robar mi auto
Beberte mi sidra
De un viejo jarro de frutas
Hacer lo que quieras hacer

But uh, uh	*Pero no*
Honey, lay off of my shoes	*Querida, no toques mis zapatos*
But don't you	*Pero no*
Step on my blue suede shoes	*Pises mis zapatos de ante azul*
You can do anything	*Haz lo que quieras*
But lay off of	*Pero no toques*
My blue suede shoes	*Mis zapatos de ante azul*
Well, it's one for the money	*Pues, a la una por el dinero*
Two for the show	*A las dos por la función*
Three to get ready	*A las tres para estar listo*
Now go, cat, go	*Ahora vamos, gato, vamos*
But don't you	*Pero no*
Step on my blue suede shoes	*Pises mis zapatos de ante azul*
You can do anything	*Haz lo que quieras*
But lay off of my blue	*Pero no toques mis zapatos de*
suede shoes	*ante azul*
Blue, blue, blue suede shoes	*Azul, azul, zapatos de ante azul*
Blue, blue. blue suede shoes	*Azul, azul, zapatos de ante azul*
Blue, blue, blue suede shoes,yeah	*Azul, azul, zapatos de ante azul, sí*
You can do anything	*Haz lo que quieras*
But lay off	*Pero no toques*
Of my blue suede shoes	*Mis zapatos de ante azul*

C

Aprendamos conversando

Lección

C

Notas

Actividad 1
I hope the living room is big.
I hope the bedroom is big.
I hope the bathroom is big.
I hope the dining room is big.
I hope the kitchen is big.
I hope the den is big.
I hope the basement is big.
I hope the attic is big.
I hope the yard is big.
I hope the garden is big.
I hope the driveway is big.
I hope the garage is big.

Actividad 2
I like that sofa!
I like that chair!
I like that coffee table!
I like that lamp!
I like that rug!
I like that carpet!
I like that painting!
I like that television!
I like that CD player!
I like that DVD player!

. . . .

I need a new table.
I need a new counter.
I need a new refrigerator.
I need a new stove.
I need a new dishwasher.
I need a new sink.
I need a new bed.
I need a new dresser.
I need a new nightstand.
I need a new mirror.

Actividad 1
Espero que la sala sea grande.
Espero que la recámara sea grande.
Espero que el baño sea grande .
Espero que el comedor sea grande.
Espero que la cocina sea grande.
Espero que el estudio sea grande.
Espero que el sótano sea grande.
Espero que el ático sea grande.
Espero que el patio sea grande.
Espero que el jardín sea grande.
Espero que la entrada sea grande.
Espero que el garaje sea grande.

Actividad 2
¡Me gusta ese sofá!
¡Me gusta esa silla!
¡Me gusta esa mesa de centro!
¡Me gusta esa lámpara!
¡Me gusta esa alfombra!
¡Me gusta esa alfombra!
¡Me gusta esa pintura!
¡Me gusta esa televisión!
¡Me gusta ese tocador de CDs!
¡Me gusta ese reproductor de DVD!

. . . .

Necesito una mesa nueva.
Necesito un mostrador nuevo.
Necesito un refrigerador nuevo.
Necesito una estufa nueva.
Necesito un lavaplatos nuevo.
Necesito un lavabo nuevo.
Necesito una cama nueva.
Necesito un armario nuevo.
Necesito una mesita de noche nueva.
Necesito un espejo nuevo.

The sink is brand new. — *El lavabo es completamente nuevo.*
The toilet is brand new. — *El escusado es completamente nuevo.*
The bathtub is brand new. — *La tina es completamente nueva.*
The shower is brand new. — *La regadera es completamente nueva.*
The medicine cabinet is brand new. — *El botiquín es completamente nuevo.*

Actividad 3

1. an apartment with two bedrooms
   a two-bedroom apartment
2. a house with two bathrooms
   a two-bath house
3. a studio apartment without furniture
   an unfurnished studio
4. a house with two stories and three bedrooms
   a two-story, three-bedroom house
5. an efficiency apartment with furniture
   a furnished efficiency apartment
6. an apartment with two bedrooms and one bathroom
   a two-bedroom, one-bath apartment
7. a house with three bedrooms, two bathrooms, and a garage for one car
   a three-bedroom, two-bath house with a one-car garage

Actividad 3

1. *un apartamento de dos dormitorios*
2. *una casa de dos baños*
3. *un estudio sin amueblar*
4. *una casa de dos pisos y tres recámaras*
5. *un estudio amueblado*
6. *un apartamento de dos recámaras y un baño*
7. *una casa de tres recámaras, dos baños y un garaje para un auto*

Actividad 4

1.	need	needed	6.	clean	cleaned
2.	play	played	7.	end	ended
3.	watch	watched	8.	look	looked
4.	want	wanted	9.	learn	learned
5.	finish	finished	10.	rent	rented

. . . .

1. needed	ed	6. cleaned	d
2. played	d	7. ended	ed
3. watched	t	8. looked	t
4. wanted	ed	9. learned	d
5. finished	t	10. rented	ed

Actividad 4

1.	*necesito*	*necesité*	*6*	*limpio*	*limpié*
2.	*juego*	*jugué*	*7.*	*acabo*	*acabé*
3.	*veo*	*vi*	*8.*	*miro*	*miré*
4.	*quiero*	*quise*	*9.*	*aprendo*	*aprendí*
5.	*termino*	*terminé*	*10.*	*alquilo*	*alquilé*

. . . .

1. necesité	*6. limpié*
2. jugué	*7. acabé*
3. vi	*8. miré*
4. quise	*9. aprendí*
5. acabé	*10. alquilé*

Actividad 5

Man: I eat a big breakfast every morning.
Woman: Yesterday morning?
Man: I ate a big breakfast yesterday morning.

Man: He comes home late every night.
Woman: Last night?
Man: He came home late last night.

Man: She doesn't drink cola.
Woman: When she was young?
Man: She didn't drink cola when was young.

Man: I drive to work.
Woman: Last month?
Man: I drove to work last month.

Man: He gives me a birthday present every year.
Woman: Last year?
Man: He gave me a birthday present last year.

Man: I don't go to the movies every week.
Woman: Last week?
Man: I didn't go to the movies last week.

Man: He rides in the car with me to the office.
Woman: Two days ago?
Man: He rode in the car with me to the office two days ago.

Man: I run five miles every day.
Woman: Yesterday?
Man: I ran five miles yesterday.

Actividad 5

Hombre: Desayuno mucho todas las mañanas.
Mujer: ¿Ayer en la mañana?
Hombre: Desayuné mucho ayer en la mañana.

Hombre: Llega tarde a casa todas las noches.
Mujer: ¿Anoche?
Hombre: Llegó tarde a casa anoche.

Hombre: No toma refresco de cola.
Mujer: ¿Cuándo era joven?
Hombre: No tomaba refresco de cola cuando era joven.

Hombre: Manejo al trabajo.
Mujer: ¿El mes pasado?
Hombre: Manejé al trabajo el mes pasado.

Hombre: Me da un regalo de cumpleaños cada año.
Mujer: ¿El año pasado?
Hombre: Me dio un regalo de cumpleaños el año pasado.

Hombre: No voy al cine cada semana.
Mujer: ¿La semana pasada?
Hombre: No fui al cine la semana pasada.

Hombre: Va conmigo en el auto a la oficina.
Mujer: ¿Hace dos días?
Hombre: Fue conmigo en el auto a la oficina hace dos días.

Hombre: Corro cinco millas todos los días.
Mujer: ¿Ayer?
Hombre: Corrí cinco millas ayer.

C Aprendamos conversando

Man: She doesn't say a lot to me in the morning.
Woman: Last night?
Man: She didn't say a lot to me last night.

Hombre: No me dice mucho en la mañana.
Mujer: ¿Anoche?
Hombre: No me dijo mucho anoche.

Man: I see my parents every winter.
Woman: Last winter?
Man: I saw my parents last winter.

Hombre: Veo a mis padres cada invierno.
Mujer: El invierno pasado?
Hombre: Vi a mis padres el invierno pasado.

Man: I don't sing in church every Sunday.
Woman: Last Sunday?
Man: I didn't sing in church last Sunday.

Hombre: No canto en la iglesia cada domingo.
Mujer: ¿El domingo pasado?
Hombre: No canté en la iglesia el domingo pasado.

Man: We sit together in class this semester.
Woman: Last semester?
Man: We sat together in class last semester.

Hombre: Nos sentamos juntos en clase este semestre.
Mujer: ¿El semestre pasado?
Hombre: Nos sentábamos juntos en clase el semestre pasado.

Man: I speak to her on the phone every evening.
Woman: Three evenings ago?
Man: I spoke to her on the phone three evenings ago.

Hombre: Hablo con ella por teléfono cada noche.
Mujer: ¿Hace tres noches?
Hombre: Hablé con ella por teléfono hace tres noches.

Man: He doesn't swim very well.
Woman: Last summer?
Man: He didn't swim very well last summer.

Hombre: Él no nada bien.
Mujer: ¿El verano pasado?
Hombre: Él no nadaba bien el verano pasado.

Man: I take a shower every morning.
Woman: Yesterday morning?
Man: I took a shower yesterday morning.

Hombre: Me baño todas las mañanas.
Mujer: ¿Ayer en la mañana?
Hombre: Me bañé ayer en la mañana.

Man: She teaches in the university.
Woman: Five years ago?
Man: She taught in the university five years ago.

Hombre: Da clases en la universidad.
Mujer: ¿Hace cinco años?
Hombre: Daba clases en la universidad hace cinco años.

Man:	I don't tell my mother everything.	*Hombre:*	*No le cuento todo a mi madre.*
Woman:	When you were young?	*Mujer:*	*¿Cuándo era joven?*
Man:	I didn't tell my mother everything when I was young.	*Hombre:*	*No le contaba todo a mi madre cuando era joven.*

Man:	I write a letter to my sister every month	*Hombre:*	*Escribo una carta a mi hermana cada mes.*
Woman:	Last month?	*Mujer:*	*¿El mes pasado?*
Man:	I wrote a letter to my sister last month.	*Hombre:*	*Escribí una carta a mi hermana el mes pasado.*

Man:	I read to my daughter every night.	*Hombre:*	*Le leo a mi hija cada noche.*
Woman:	Last night?	*Mujer:*	*¿Anoche?*
Man:	I read to my daughter last night.	*Hombre:*	*Le leí a mi hija anoche.*

Actividad 6

Diálogo 1 (ver página 16)
First, Kathy did her homework. Then, she watched TV. Then, she met Cindy at the café. And then, she talked to Albert.

Diálogo 2 (ver página 32)
First, Leslie came to the party. And then, Dan, Mark, and John came to the party.

Dialogo 3 (ver página 49)
First, Amy bought a new refrigerator and a new stove. Then, Ann helped her friends move.

Diálogo 4 (ver página 64)
First, Kathy learns the rules for the apartment building. Then, Dan learns the rules for the apartment building.

Actividad 6

Diálogo 1
Primero, Kathy hizo su tarea. Luego, vio la televisión. Después, se reunió con Cindy en el café. Y luego, habló con Albert.

Diálogo 2
Primero, Leslie vino a la fiesta. Y luego, Dan, Mark y John vinieron a la fiesta.

Diálogo 3
Primero, Amy compró un refrigerador nuevo y una estufa nueva. Luego, Ann ayudó a sus amigos a mudarse.

Diálogo 4
Primero, Kathy aprende las normas del edificio de apartamentos. Luego, Dan aprende las normas del edificio de apartamentos.

C Aprendamos conversando

Actividad 7

Man: Did you finish your homework yesterday?
Woman: Yes, I did.
Man 2: She finished her homework yesterday.

Woman: Did you watch TV last night?
Man: No, I didn't.
Man 2: He didn't watch TV last night.

Man: Did you walk to the store this afternoon?
Woman: Yes, I did.
Man 2: She walked to the store this afternoon.

Woman: Did you listen to the radio on Friday night?
Man: Yes, I did.
Man 2: He listened to the radio on Friday night.

Man: Did you go to the beach last Saturday?
Woman: No. I didn't.
Man 2: She didn't go to the beach last Saturday.

Woman: Did you ride your bicycle after class?
Man: Yes, I did.
Man 2: He rode his bicycle after class.

Man: Did you fall?
Woman: No, I didn't.
Man 2: She didn't fall.

Woman: Did you take a shower this morning?
Man: Yes, I did.
Man 2: He took a shower this morning.

Actividad 7

Hombre: ¿Terminaste tu tarea ayer?
Mujer: Sí.
Man 2: Terminó su tarea ayer.

Mujer: ¿Viste la televisión anoche?
Hombre: No.
Man 2: No vio la televisión anoche.

Hombre: ¿Caminaste a la tienda hoy en la tarde?
Mujer: Sí.
Man 2: Caminó a la tienda hoy en la tarde.

Mujer: ¿Escuchaste la radio el viernes en la noche?
Hombre: Sí.
Man 2: Escuchó la radio el viernes en la noche.

Hombre: ¿Fuiste a la playa el sábado pasado?
Mujer: No.
Man 2: No fue a la playa el sábado pasado.

Mujer: ¿Montaste en bicicleta después de clase?
Hombre: Sí.
Man 2: Montó en bicicleta después de clase.

Hombre: ¿Te caíste?
Mujer: No.
Man 2: No se cayó.

Mujer: ¿Te bañaste hoy en la mañana?
Hombre: Sí.
Man 2: Se bañó hoy en la mañana.

Aprendamos conversando C

Man: Did you read your daughter a story last night?
Woman: Yes, I did.
Man 2: She red her daughter a story last night.

Woman: Did you break the lamp?
Man: No, I didn't.
Man 2: He didn't break the lamp.

Man: Did you write a letter to your mother?
Woman: Yes, I did.
Man 2: She wrote a letter to her mother.

Woman: Did you pay the rent last month?
Man: Yes, I did.
Man 2: He paid the rent last month.

Man: Did you eat breakfast this morning?
Woman: No, I didn't.
Man 2: She didn't eat breakfast this morning.

Woman: Did you sing a song in the show?

Man: No, I didn't.
Man 2: He didn't sing a song in the show.

Man: Did you meet your new teacher last week?
Woman: Yes, I did.
Man 2: She met her new teacher last week.

Actividad 8

Woman: I can drive a car. I can't drive a car.
Man: I can speak French. I can't speak French.
Woman: I can ride a bicycle. I can't ride a bicycle.

Hombre: *¿Le leíste un cuento a tu hija anoche?*
Mujer: *Sí.*
Hombre 2: *e leyó un cuento a su hija anoche.*

Mujer: *¿Rompiste la lámpara?*
Hombre: *No.*
Hombre 2: *No rompió la lámpara.*

Hombre: *¿Escribiste una carta a tu madre?*
Mujer: *Sí.*
Hombre 2: *Escribió una carta a su madre.*

Mujer: *¿Pagaste el alquiler el mes pasado?*
Hombre: *Sí.*
Hombre 2: *Pagó el alquiler el mes pasado.*

Hombre: *¿Desayunaste hoy en la mañana?*
Mujer: *No.*
Hombre 2: *No desayunó hoy en la mañana.*

Mujer: *¿Cantaste una canción en el espectáculo?*
Hombre: *No.*
Hombre 2: *No cantó una canción en el espectáculo.*
Hombre: *¿Conociste a tu nuevo maestro la semana pasada?*
Mujer: *Sí.*
Hombre 2: *Conoció a su nuevo maestro la semana pasada.*

Actividad 8

Mujer: *Sé manejar un coche. No sé manejar un coche.*
Hombre: *Sé hablar francés. No sé hablar francés.*
Mujer: *Sé montar en bicicleta. No sé montar en bicicleta.*

Man: I can swim very well. I can't swim very well.
Woman: I can cook Italian food. I can't cook Italian food.
Man: I can play soccer. I can't play soccer.

Actividad 9

I can drive a car.
That's great!
I can drive a car.
That's great!
I can't drive a taxi.
Too bad!
I can't drive a taxi.
Too bad!
I can speak English.
That's great!
I can speak English.
That's great!
I can speak French.
That's great!
I can't speak French.
Too bad!
I can ride a bicycle.
That's great!
I can't ride a bicycle.
Too bad!
I can ride a motorcycle.
That's great!
I can't ride a motorcycle.
Too bad!
I can swim very well.
That's great!
I can't swim very well.
Too bad!
I can float in the pool.
That's great!
I can float in the pool.
That's great!

Hombre: *Sé nadar muy bien. No sé nadar muy bien.*
Mujer: *Sé preparar comida italiana. No sé preparar comida italiana.*
Hombre: *Sé jugar fútbol. No sé jugar fútbol.*

Actividad 9

Sé manejar un coche.
¡Qué bien!
Sé manejar un coche.
¡Qué bien!
No sé manejar un taxi.
¡Qué lástima!
No sé manejar un taxi.
¡Qué lástima!
Sé hablar inglés.
¡Qué bien!
Sé hablar inglés.
¡Qué bien!
Sé hablar francés.
¡Qué bien!
No sé hablar francés.
¡Qué lástima!
Sé montar en bicicleta.
¡Qué bien!
No sé montar en bicicleta.
¡Qué lástima!
Sé montar en motocicleta.
¡Qué bien!
No sé montar en motocicleta.
¡Qué lástima!
Sé nadar muy bien.
¡Qué bien!
No sé nadar muy bien.
¡Qué lástima!
Sé flotar en la alberca.
¡Qué bien!
Sé flotar en la alberca.
¡Qué bien!

I can cook Italian food.
That's great!
I can cook Italian food.
That's great!
I can cook Chinese food.
That's great!
I can't cook Chinese food.
Too bad!
I can play soccer.
That's great!
I can play soccer.
That's great!
I can't play golf.
Too bad!
I can play golf.
That's great!

Sé preparar comida italiana.
¡Qué bien!
Sé preparar comida italiana.
¡Qué bien!
Sé preparar comida china.
¡Qué bien!
No sé preparar comida china.
¡Qué lástima!
Sé jugar fútbol.
¡Qué bien!
Sé jugar fútbol.
¡Qué bien!
No sé jugar golf.
¡Qué lástima!
Sé jugar golf.
¡Qué bien!

Actividad 10

Woman 1: My friend and I were looking for an apartment this weekend.
Man: anything or everything
Woman 2: Did you find anything?
Man: anything or nothing
Woman 1: No, nothing was right for us.
Man: everything or nothing
Woman 1: All the rents in this city are really high—everything was so expensive!
Man: anywhere or everywhere
Woman 2: Did you look everywhere in the city?
Woman 1: I looked at apartments near your house.
Man: anywhere or everywhere
Woman 2: Did you look anywhere else?
Man: anyplace or someplace
Woman 2: Maybe you can find someplace near the school.

Actividad 10

Mujer 1: Mi amiga y yo estuvimos buscando un apartamento este fin de semana.
Hombre: algo o todo
Mujer 2: ¿Encontraron algo?
Hombre: algo o nada
Mujer 1: No, no había nada adecuado para nosotras.
Hombre: todo o nada
Mujer 1: Todas las rentas de esta ciudad son muy elevadas—¡todo era tan caro!
Hombre: en alguna parte o en todas partes
Mujer 2: ¿Buscaron por toda la ciudad?
Mujer 1: Vi apartamentos cerca de tu casa.
Hombre: algún otro lado o en todos lados
Mujer 2: ¿Buscaron en algún otro lado?
Hombre: cualquier lugar o algún lugar
Mujer 2: Tal vez puedas encontrar algún lugar cerca de la escuela.

Man: nothing or anything
Woman 1: No. there's nothing with two bedrooms and a low rent.
Man: someone or everyone
Woman 2: Maybe you can find someone else to live with you both—and share the rent.
Man: no one or anyone
Woman 1: Do you know anyone?
Man: no one or anyone
Woman 1: No one in my class is interested.
Man: no one or someone
Woman 2: Maybe I can think of someone.
Man: everyone or anyone
Woman 2: I'll ask everyone I know.
Woman 1: Thanks a million!

Hombre: nada o algo
Mujer 1: No, no hay nada con dos recámaras y renta baja.
Hombre: alguien o todos
Mujer 2: Tal vez puedan ustedes dos encontrar a alguien más con quien vivir—y compartir la renta.
Hombre: nadie o alguien
Mujer 1: ¿Conoces a alguien?
Hombre: nadie o alguien
Mujer 1: Nadie está interesado en mi clase.
Hombre: nadie o alguien
Mujer 2: Tal vez se me ocurra alguien.
Hombre: toda la gente o alguien
Mujer 2: Preguntaré a toda la gente que conozco.
Mujer 1: ¡Muchas gracias!

Actividad 11
¿Hay una lavadora en cada apartamento?
Does every apartment have a washing machine?

Are you tired of house hunting? Sick of looking at closet-sized apartments with hotel-sized prices? Then it's time for you to make an appointment with a professional agent at Real Deal Real Estate. And soon you will know the meaning of "Welcome home!"

Actividad 11
¿Hay una lavadora en cada apartamento?
Does every apartment have a washing machine?

¿Ya se cansó de buscar casa? Está harto de ver apartamentos del tamaño de un ropero con precios del tamaño de un hotel? Entonces ya es hora de que usted fije una cita con un agente profesional de Real Deal Real Estate (Bienes Raíces "La Verdadera Oferta"). Y próximamente sabrá el significado de "¡Bienvenido a casa!"

Looking for a one-family house or a two-family house? We have the perfect home for you! From two to six bedrooms, two and three bathrooms, central air, ocean or city views, we have the family home of your dreams! Need an apartment? We have plenty of studios, one, two, and three-bedroom apartments for rent, some with two bathrooms, many with wall-to-wall carpeting, terraces, and washers and dryers included. So call Real Deal Real Estate at five-five-five, one thousand today! The time to move is now!

¿Busca una casa para una familia o una casa para dos familias? ¡Tenemos la casa perfecta para usted! ¡De dos a seis recámaras, dos y tres baños, aire condicionado central, vistas al mar o a la ciudad, tenemos la casa familiar de sus sueños! ¿Necesita un apartamento? Tenemos varios estudios y apartamentos de una, dos y tres recámaras para alquilar, algunos con dos baños, muchos con alfombrado de pared a pared, terrazas y lavadoras y secadoras incluidas. Así que llame hoy mismo a Real Deal Real Estate al cinco-cinco-cinco mil. ¡El momento de mudarse es ahora!

Does every apartment have a washing machine?
No. Some of the apartments have a washer—but not every apartment.

¿Tienen lavadora todos los apartamentos?
No. Algunos apartamentos tienen lavadora, pero no todos.

Are there any five-bedroom houses?
Yes, there are.

¿Hay casas de cinco dormitorios?
Sí.

Do they have any four-bedroom apartments?
No, they don't.

¿Tienen apartamentos de cuatro dormitorios?
No.

Notas

Notas

Notas